这是我的书 It's MY BOOK 7级：400字

巨人的花园

作者：程以克（Vicki Cheng）
插图：冰河插画（Bing He Design）

U0891721

北京语言大学出版社
BEIJING LANGUAGE AND CULTURE UNIVERSITY PRESS

PHOENIX TREE PUBLISHING INC.

识读　漂亮 建 摸 伸 吵
到处 骂

句型　怎么……？

字数　407 字

cóng qián yǒu yí gè jù rén tā yǒu yí zuò piào
从前有一个巨人，他有一座漂
liang de huā yuán nà li chūn tiān xiān huā kāi fàng
亮的花园。那里，春天鲜花开放，
xià tiān lǜ shù chéng yīn qiū tiān xiān guǒ piāo xiāng dōng
夏天绿树成荫，秋天鲜果飘香，冬
tiān bái xuě yí piàn hái zi men dōu xǐ huan zài tā de
天白雪一片，孩子们都喜欢在他的
huā yuán li wán
花园里玩。

jù rén zài wài miàn zhù le qī nián yǒu yì nián
巨人在外面住了七年。有一年

qiū tiān jù rén tū rán huí lai le tā kàn dào huā
秋天，巨人突然回来了。他看到花

yuán li dào chù dōu shì xiǎo péng yǒu shí fēn shēng qì
园里到处都是小朋友，十分生气，

bǎ tā men quán dōu gǎn zǒu le tā hái jiàn qi le
把他们全都赶走了。他还建起了

gāo gāo de wéi qiáng bú ràng rén jìn lai
高高的围墙，不让人进来。

dōng tiān lái le běi fēng chuī xuě huā piāo
冬天来了，北风吹，雪花飘，

jù rén yí gè rén zài huā yuán li dù guò le hán lěng
巨人一个人在花园里度过了寒冷

de dōng tiān chūn tiān lái le huā kāi le xiǎo niǎo zài
的冬天。春天来了，花开了，小鸟在

shù shang chàng gē kě shì jù rén de huā yuán li hái
树上唱歌。可是巨人的花园里还

shi dōng tiān méi yǒu xiān huā méi yǒu gē shēng jù rén
是冬天，没有鲜花，没有歌声。巨人

bù míng bai jīn nián de chūn tiān zěn me zhè me lěng
不明白：今年的春天怎么这么冷？

yì tiān zǎo shang jù rén bèi chǎo xǐng le
一天早上，巨人被吵醒了。
tā kàn jiàn yáng guāng zhào jin wū li fēng tíng le
他看见阳光照进屋里，风停了，
xuě huà le cǎo dì yě biàn lǜ le jù rén gāo
雪化了，草地也变绿了。巨人高
xìng de pǎo dào huā yuán fā xiàn hái zi men zhèng zài
兴地跑到花园，发现孩子们正在
huā yuán li huān lè de wán yóu xì
花园里欢乐地玩游戏。

dōu gǔn chu qu tīng dào jù rén de mà
“都滚出去！”听到巨人的骂
shēng hái zi men hài pà de pǎo zǒu le tū rán
声，孩子们害怕地跑走了。突然，
xiān huā bú jiàn le shù yè piāo luò xia lai huā yuán
鲜花不见了，树叶飘落下来，花园
yòu chéng le dōng tiān
又成了冬天。

yǒu yí gè xiǎo nán hái méi yǒu zǒu tā zhàn zài
有一个小男孩没有走。他站在
shù xià yòng tā nà shuāng huì shuō huà de yǎn jing kàn zhe
树下，用他那双会说话的眼睛看着
jù rén tā shēn shǒu yì mō shù zhī shù zhī mǎ shàng
巨人。他伸手一摸树枝，树枝马上
zhǎng chu le lǜ yá kāi chu le měi lì de huā duǒ
长出了绿芽，开出了美丽的花朵。

jù rén zhōng yú míng bai le méi yǒu hái zi
巨人终于明白了，没有孩子

de dì fang jiù méi yǒu chūn tiān tā bào qi nán hái
的地方就没有春天。他抱起男孩

shuō yào bú shì nǐ chūn tiān jiù bèi wǒ yǒng yuǎn
说：“要不是你，春天就被我永远

de gǎn zǒu le xiè xie nǐ jù rén chāi diào le
地赶走了。谢谢你！”巨人拆掉了

wéi qiáng huā yuán yòu chéng le hái zi men de lè yuán
围墙，花园又成了孩子们的乐园，

chūn tiān yě huí lai le
春天也回来了。

1 从前有一个巨人，他有一座漂亮的花园。那里，春天鲜花开放，夏天绿树成荫，秋天鲜果飘香，冬天白雪一片，孩子们都喜欢在他的花园里玩。

2 巨人在外面住了七年。有一年秋天，巨人突然回来了。他看到花园里到处都是小朋友，十分生气，把他们全都赶走了。他还建起了高高的围墙，不让人进来。

3 冬天来了，北风吹，雪花飘，巨人一个人在花园里度过了寒冷的冬天。春天来了，花开了，小鸟在树上唱歌。可是巨人的花园里还是冬天，没有鲜花，没有歌声。巨人不明白：今年的春天怎么这么冷？

4 一天早上，巨人被吵醒了。他看见阳光照进屋里，风停了，雪化了，草地也变绿了。巨人高兴地跑到花园，发现孩子们正在花园里欢乐地玩游戏。

5 “都滚出去！”听到巨人的骂声，孩子们害怕地跑走了。突然，鲜花不见了，树叶飘落下来，花园又成了冬天。

6 有一个小男孩没有走。他站在树下，用他那双会说话的眼睛看着巨人。他伸手一摸树枝，树枝马上长出了绿芽，开出了美丽的花朵。

7 巨人终于明白了，没有孩子的地方就没有春天。他抱起男孩说：“要不是你，春天就被我永远地赶走了。谢谢你！”巨人拆掉了围墙，花园又成了孩子们的乐园，春天也回来了。

看图讲故事